Felice Arena a Phil Kettle
Addasiad Dyfan Roberts

lluniau gan
Mitch Vane

Gomer

Cyhoeddwyd gyntaf ym Mhrydain yn 2005
gan Rising Stars UK Ltd, 76 Farnaby Road, Bromley BR1 4BH
dan y teitl *Hit the Beach*

Cyhoeddwyd gyntaf yn Gymraeg yn 2010 gan
Wasg Gomer, Llandysul, Ceredigion, SA44 4JL.
www.gomer.co.uk

ISBN 978 1 84851 139 2

Noddwyd gan Lywodraeth Cynulliad Cymru.

Argraffwyd a rhwymwyd yng Nghymru gan
Wasg Gomer, Llandysul, Ceredigion.

BECHGYN AM BYTH!

Cynnwys

Math
Rhys

PENNOD 1

Dal y Don

Mae Math a Rhys yn treulio diwrnod ar y traeth gyda'u teuluoedd. Maen nhw yn y môr ac mae Math yn dysgu Rhys sut i syrffio-corff.

Math Rhaid i ti ddechrau nofio â dy ben uwchben y dŵr yn union cyn i'r don dorri. Fel hyn.

Mae ton yn dod. Mae Math yn dechrau chwifio'i freichiau a chicio'i goesau'n wyllt. Mae'n llwyddo i ddal y don ac yn reidio arni'r holl ffordd i'r traeth. Yna mae'n nofio'n ôl at Rhys.

Math Welaist ti hynna?

Rhys Do. Roedd e'n ffantastig!

Math Reit, dy dro di yw hi nawr.
Dyma don arall. Bydd yn barod.
Nawr! Cicia! Ffwrdd â ni!!!

Mae'r don yn torri dros ben Rhys. Mae Math yn ei reidio'r holl ffordd i'r traeth unwaith eto. Mae'n nofio'n ôl at Rhys.

Math Beth ddigwyddodd? Ro'n i'n meddwl dy fod ti'n mynd i ddal honna.

Rhys A fi. Mae'r rhan fwyaf ohoni yn fy ngheg i. Pam mae dŵr y môr yn hallt?

Rhys Ym, dw i ddim yn gwbod. Falle bod teulu o gewri'n byw lan yn y cymylau.

Rhys Beth?

Math Ie, ac wrth iddyn nhw fwyta swper un noson, dyma un ohonyn nhw'n dymchwel y pot halen . . . ac yn arllwys yr halen i foroedd y byd.

Rhys Ydy'r haul yn ffrio dy frêns di, dwed?

Math Hei, edrych ar y don yma'n dod! Mae hi'n anferth! Rhaid ei bod hi'n dair metr o uchder!

Rhys Ga i drio'i dal hi?

Math Na, paid. Gallai hon dy ladd di. Fyddwn *i* hyd yn oed ddim yn trio reidio hon. Deifia odani cyn iddi dorri, iawn? Rhys?

Ond wrth iddo droi mae Math yn gweld bod Rhys wedi dechrau padlo a chicio mor galed ag y gall.

Math Rhys! Beth sy'n bod arnat ti? Bydd hon yn dy falu di'n ddarnau mân!

PENNOD 2

Castell Tywod

Ond, yn rhyfedd iawn, mae Rhys yn dal y don anferth ac yn cael ei gario i'r traeth.

Rhys IAHŴŴŴŴŴ!!

Mae Math yn nofio ar ei ôl.

Math Alla i ddim credu'r peth! Rhaid mai lwcus oeddet ti! Roedd hynna'n wych!

Rhys Dw i'n gwbod. Ro'n i'n hedfan. Beth am ei wneud e eto?

Math Ocê, ond yn nes ymlaen. Dw i eisiau cael hoe nawr, ac mae syched arna i.

Mae'r bechgyn yn rhedeg i fyny'r traeth at eu rhieni. Maen nhw'n cael rhywbeth i'w fwyta ac yfed, yna maen nhw'n penderfynu mynd i grwydro.

Rhys Hei, edrych draw fanna. Dyna gastell tywod cŵl!

Math (yn sarcastig) O ie, *gwych.* Os wyt ti'n bump oed.

Rhys Beth sydd o'i le ar wneud cestyll tywod?

Math Dim – os mai chwarae gyda dy chwaer fach wyt ti. Dere, beth am weld os allwn ni ddod o hyd i grancod marw neu rywbeth.

Rhys Ti'n gwbod, mae rhai pobl yn codi cestyll tywod yn broffesiynol. Pobl sy'n llawer hŷn na ti a fi. Gwylia hyn. Dw i'n mynd i wneud castell tywod nawr.

Mae Rhys yn dechrau palu'r tywod a'i siapio'n gastell. Mae Math yn eistedd a gwylio'n syn am dipyn, yna mae'n dechrau helpu Rhys.

Rhys Ti'n gweld? On'd yw hwnna'n edrych yn cŵl? Mae'r ffos yn ffantastig. Ac mae'r tyrau 'na yn gwneud i'r ffrynt edrych fel castell go iawn.

Math Ie, rhaid i mi ddweud, dyw e ddim yn ddrwg.

Mae'r bechgyn yn sefyll i edmygu eu castell tywod campus. Ond mae bachgen mawr yn dod o rywle ac yn cerddded tuag atyn nhw. Mae'n edrych yn wawdlyd ar Rhys a Math. Yna'n sydyn mae'n rhoi cic i'r castell a'i ddymchwel.

PENNOD 3

Claddu a Blas Fanila

Mae'r bachgen mawr yn cerdded i ffwrdd gan chwerthin yn uchel. Mae castell tywod Math a Rhys wedi ei ddifetha.

Rhys Pam wnaeth e hynna? Rhaid i ni wneud rhywbeth!

Math Fel beth? Mynd ar ei ôl a gofyn iddo ddweud sori? Dim gobaith! Welest ti mor fawr oedd e.

Rhys Ond beth am y castell?

Math Anghofia'r castell. Beth am wneud rhywbeth arall?

Rhys Fel beth?

Math Cladda fi'n y tywod!

Rhys Beth? Dros dy ben?

Math Na! Hyd at fy ngwddw.

Rhys Iawn!

Mae Math a Rhys yn dechrau palu twll mawr yn y tywod. Mae eu tadau'n eu gwylio nhw.

Rhys Reit. Mewn â ti.

Wrth i Math orwedd yn y twll mae Rhys yn ei orchuddio â thywod.

Math. Cŵl. Fedra i ddim symud.

Rhys Mae'n rhyfedd gweld dim ond dy ben di'n codi allan o'r tywod.

Math Mae'n teimlo'n braf. Hei, ydy dy fam di'n galw?

Rhys Ydy, a dy fam di hefyd. Fe a' i weld beth maen nhw eisiau.

Mae Rhys yn dod yn ôl i'r fan lle mae Math wedi ei gladdu, gan lyfu hufen iâ.

Math Mmm, ai hufen iâ siocled a fanila yw hwnna?

Rhys Ie, ac mae e'n flasus hefyd. Mmm!

Math Helpa fi i ddod allan o'r tywod yma. Dw i eisiau hufen iâ hefyd!

Rhys Na. Mmm, mmm. Dyma'r hufen iâ gorau'n y byd! Mmmmm!

Math Rhys! Helpa fi allan o'r twll yma!

Mae Rhys yn dal i bryfocio Math. Mae'n penlinio wrth ben Math ac yn chwifio'r hufen iâ o flaen ei drwyn.

Rhys Hoffet ti gael blas o hwn?

Math Na, dw i eisiau fy hufen iâ fy hun. Helpa fi allan o'r twll yma AR UNWAITH!

Rhys Na. Os nad wyt ti'n blasu hwn, wna i ddim dy helpu di.

Math Reit, reit! Fe wna i flasu dy hufen iâ di.

Mae Rhys yn dod â'r cornet yn nes at geg Math. Yn sydyn mae'r hufen iâ'n syrthio allan o'r cornet ac yn disgyn ar ei wyneb.

PENNOD 4

Siarc?

Mae Rhys yn trio rhwbio'r hufen iâ oddi ar wyneb Math. Ond wrth wneud hynny mae'n rhwbio tywod i mewn i'r hufen iâ ac yn ei ddifetha. O'r diwedd mae'n palu'r tywod a gall Rhys ddod allan o'r twll.

Math Dyna ti wedi colli dy hufen iâ. Ddylet ti ddim fod wedi fy mhryfocio i, y twpsyn.

Rhys Ddylwn i ddim fod wedi trio rhoi peth i ti.

Math Wel, beth am fynd i nôl mwy?

Mae'r bechgyn yn rhedeg draw at eu rhieni ac yn cael hufen iâ yr un. Ymhen ugain munud maen nhw'n ôl yn y môr, yn trio reidio'r tonnau eto.

Math Mae'r tonnau yma i gyd yn rhy fach. Rhaid i ni aros am rai mwy.

Rhys Beth oedd hwnna?

Math Beth oedd beth?

Rhys Mae rhywbeth newydd gyffwrdd â 'nghoes i.

Math Paid â siarad dwli. Dychmygu wyt ti.

Rhys Na, wir, deimlais i rywbeth. Dwyt ti ddim yn meddwl mai siarc oedd e, wyt ti?

Math Os mai siarc oedd e, fyddet ti ddim yn dal i siarad â fi nawr.

Rhys Ti'n iawn. Wyt ti'n meddwl bod yna siarcod o gwmpas?

Math Oes, wrth gwrs. Ry'n ni yn y môr. Mae siarcod yn byw yn y môr. Ni sydd yn eu cartre *nhw*.

Rhys Wel, does dim ofn arnat ti?

Math Na, achos petawn i'n gweld siarc, byddwn i'n rhoi cnoc iddo ar ei drwyn nes ei fod e'n crio fel babi!

Rhys Wyt ti o ddifri'n dweud nad oes ofn arnat ti y gallai siarc gnoi dy berfedd di – siarc anferth sy'n gallu lladd dynion a'u bwyta?

Math Na.

Rhys Beth yw hwnna 'te?

Wrth i Math droi ei ben mae'n gweld cysgod mawr llwyd yn y pellter o dan wyneb y dŵr.

Math O na! Siarc! Rhaid i ni ei heglu hi o 'ma!

Rhys Ddwedest ti nad oedd ofn arnat ti!

Math Wyt ti'n wallgo? Smalio o'n i! Nofia am dy fywyd!

PENNOD 5

Talu'r Pwyth yn Ôl

Mae Math a Rhys yn nofio am eu bywydau. Hynny yw, nes i Rhys edrych yn ôl a gweld nad siarc sydd yno wedi'r cwbl. Mae'n gafael yn nhroed Math.

Rhys Aros!

Math Beth?

Rhys Edrych!

Mae'r cysgod llwyd yn codi i wyneb y dŵr. Mae dyn yn gwisgo snorcel a fflipyrs yn nofio heibio.

Math Snorcelwr oedd yno?

Rhys Ie. Ew! Dyna lwc. Ro'n i'n meddwl 'i bod hi ar ben arnon ni.'

Math Do'n i ddim. Doedd dim ofn arna i . . . ddim mewn gwirionedd.

Rhys Gad dy gelwydd! Roeddet ti'n nofio fel nofiwr Olympaidd yn mynd am y fedal aur.

Math Wel, falle mod i. Edrych!

Mae Rhys yn troi ac yn gweld ton anferth yn dod tuag atyn nhw.

Rhys Mae hon yn fwy na'r un ddaliais i o'r blaen!

Math Ydy, dw i'n gwbod. Beth am roi cynnig arni?

Rhys Iawn. Edrych! Mae *e*'n mynd i drio'i dal hi hefyd.

Mae Rhys a Math yn edrych draw ac yn sylweddoli mai dyma'r bachgen mawr wnaeth ddifetha'u castell nhw.

Math Wel, dw i'n gobeithio y gwnaiff e fethu. Ocê, wyt ti'n barod? Dyma hi'n dod!

Rhys Ffwrdd â ni!

Mae Math a Rhys yn nofio'n wyllt ac mae'r ddau yn llwyddo i reidio'r don anferth yr holl ffordd i'r traeth.

Rhys a Math HWRÊ!

Maen nhw'n codi ar eu traed ac yn clapio cledrau eu dwylo. Yna maen nhw'n gweld bod y bachgen mawr wedi colli'r don yn gyfan gwbl. Gallan nhw weld hefyd ei fod e wedi colli rhywbeth arall – ei drywsus nofio.

Rhys (yn chwerthin) Edrych, fe gollodd e 'i drywsus yn y don!

Mae Math yn codi'r trywsus nofio o'r dŵr. Mae'r bachgen yn gweiddi: 'Hei, rho hwnna'n ôl i fi!'

Math Dyma sy'n digwydd i rywun sy'n difetha cestyll tywod pobl eraill!

Rhys Beth wnawn ni â'i drywsus nofio? Mae e'n cochi hyd at ei glustiau. Sut all e ddod allan o'r dŵr nawr?

Math Mae gen i syniad!

Yn fuan iawn mae Math a Rhys wedi codi castell tywod arall. Ar y tŵr mae baner wedi ei gwneud allan o ddarn o bren a . . . thrywsus nofio!

Geriau Gorau y Traeth

eli haul Hylif neu hufen i'w roi ar y croen i'ch amddiffyn rhag cael eich llosgi gan belydrau'r haul.

hufen iâ Bwyd meddal, melys, oer wedi ei wneud o gynnyrch llaeth wedi rhewi. Gallwch ei gael mewn gwahanol flasau. Mae'n dda i'w chwifio o flaen trwyn ffrindiau sydd wedi eu claddu mewn tywod!

syrffio-corff Reidio ton heb ddefnyddio bwrdd syrffio.

traeth Tir ar ymyl môr, llyn neu arfordir.

tswnami Ton anferth sy'n cael ei hachosi gan ddaeargryn.

Pethau Pwysig y Traeth

☞ Dylech chi bob amser roi hylif neu eli haul sy'n Ffactor Amddiffyn Rhag Haul 15 o leiaf ar eich croen, hyd yn oed pan mae hi'n gymylog. Dydych chi ddim eisiau cael eich ffrio.

☞ Gwnewch yn siŵr fod eich gwisg nofio'n ddigon tyn, neu gallai ddod i ffwrdd yn y dŵr.

☞ Gofynnwch i'ch rhieni brynu hufen iâ i chi. Mae bob amser yn blasu'n well ar y traeth.

☞ Yfwch ddigon o ddŵr ffres, ond nid dŵr hallt – bydd hwnnw'n eich gwneud yn fwy sychedig!

☞ Dewch allan o'r dŵr ... ar unwaith! ... os ydych chi'n gweld asgell lwyd o unrhyw fath yn nofio heibio.

☞ Talwch sylw i'r fflagiau diogelwch – maen nhw'n dangos ble a phryd mae'n ddiogel i nofio.

☞ Codwch gastell tywod – peidiwch â meddwl mai peth plentynnaidd yw e. Tywod gwlyb sydd orau.

☞ Gwisgwch fflip-fflops neu sandalau os yw'r tywod yn rhy boeth.

☞ Peidiwch byth â nofio ar eich pen eich hun – dyw e ddim yn hwyl a gall fod yn beryglus.

Ffeithiau Ffynci

- Pa mor hir oedd y cerflun tywod hiraf erioed? Roedd e'n 26,375 metr o hyd. Bu dros 10,000 o bobl wrthi'n ei greu yn 1991 yn Myrtle Beach, Califfornia, UDA.

- Quiksilver yw enw un o'r cwmnïau syrffio mwyaf yn y byd.

- Billabong yw enw un o'r cwmnïau syrffio mwyaf llwyddiannus yn y byd.

- Mae Brasil yn enwog am gynhyrchu nid yn unig y chwaraewyr pêl-droed gorau yn y byd, ond hefyd y chwaraewyr pêl foli-traeth gorau yn y byd.

- Cafodd yr olion traed dynol hynaf yn y byd eu darganfod ar draeth creigiog yn Ne Affrica.
- Cafodd y tywel traeth mwyaf yn y byd ei wneud yn Sbaen. Mae'n 9.4 metr o led ac yn 14.5 metr o hyd.
- Kelly Slater o Awstralia yw un o'r syrffwyr enwocaf yn y byd.
- Mae gan Gymru 750 milltir o arfordir, ac ar hyd yr arfordir mae llawer o draethau hyfryd.

Holi am Hwyl

1 Beth ddylech chi ei roi ar eich croen i'ch amddiffyn eich hun rhag niwed gan belydrau'r haul?

2 Pam na ddylech chi yfed dŵr y môr?

3 Ai pysgodyn yw dolffin?

4 Beth yw'r enw am syrffio heb fwrdd syrffio?

5 Enwch un o foroedd y byd sy'n cychwyn â'r llythyren 'I', hynny yw, 'Môr I…'

6 Pa fath o aderyn ydych chi'n debygol o'i weld ar y traeth?

7 Beth sy'n dangos ydy hi'n ddiogel i chi nofio ai peidio?

8 Allan o beth ydych chi'n adeiladu castell tywod?

Atebion

1. Dylech chi roi hylif neu eli haul ar eich croen rhag i belydrau'r haul wneud niwed i chi.
2. Dylech chi yfed digon o ddŵr ffres, ond nid dŵr y môr – mae'n llawn halen!
3. Na. Mamal yw dolffin.
4. Syrffio-corff yw'r enw ar ddal ton heb fwrdd syrffio.
5. Môr sy'n cychwyn â'r llythyren 'I' yw Môr Iwerydd.
6. Rydych chi'n debyg o weld gwylanod ar y traeth.
7. Mae fflagiau diogelwch ar y traeth yn dangos a yw hi'n ddiogel i nofio ai peidio.
8. Rydych chi'n adeiladu castell tywod allan o dywod, wrth gwrs!

Beth oedd eich sgôr?

- Os cawsoch chi 8 ateb cywir, rydych chi'n bendant yn hoffi mynd i'r traeth. Byddech chi'n mynd bob dydd pe gallech chi.

- Os cawsoch chi 6 ateb cywir, rydych chi'n hoffi'r traeth, ond weithiau dydych chi ddim yn hoffi cael tywod drosoch chi i gyd.

- Os cawsoch chi lai na 4 ateb cywir, falle bod yn well gyda chi edrych ar y môr na mynd i mewn iddo. Ond rydych chi'n dal i fwynhau bwyta hufen iâ ar y traeth.

Haia Fechgyn!

Rydyn ni'n cael llawer o hwyl yn darllen, a hoffen ni i chi gael yr un hwyl hefyd. Yn ein barn ni mae hi'n bwysig iawn gallu darllen yn dda ac mae'n cŵl iawn hefyd.

Dyma rai pethau y gallwch chi eu gwneud i'ch helpu i gael hwyl wrth ddarllen.

Yn yr ysgol, beth am ddefnyddio 'DAL Y DON' fel drama gyda chi a'ch ffrindiau'n actorion? Rhaid i chi osod cefndir y ddrama. Dewch â'ch gêr glan môr i'r ysgol i'ch helpu i actio – ond gadewch y tywod ar y traeth! Os nad oes bwced a rhaw gyda chi, defnyddiwch eich sgiliau actio a'ch dychymyg i smalio.

Reit . . . ydych chi wedi penderfynu pwy fydd Rhys a phwy fydd Math? Nawr, gyda'ch ffrindiau, ewch ati i ddarllen ac actio'r stori o flaen y dosbarth.

Rydyn ni'n cael llawer o hwyl pan ydyn ni'n mynd i ysgolion i ddarllen ein straeon. Ar ôl i ni orffen mae'r plant i gyd yn curo dwylo'n uchel iawn. Pan fyddwch chi wedi gorffen actio'ch drama bydd gweddill y dosbarth yn curo dwylo'n uchel i chi hefyd. Cofiwch gymryd cip allan trwy'r ffenest – rhag ofn bod sgowt o sianel deledu'n eich gwylio!

Mae darllen gartref yn bwysig hefyd, ac mae'n llawer o hwyl.

Ewch â'n llyfrau ni adref a gofynnwch i rywun o'r teulu eu darllen gyda chi. Falle gallan nhw actio rhan un o'r cymeriadau yn y stori.

Cofiwch, mae darllen yn llawer o hwyl.

Fel dwedodd y pry llyfr . . . mae blas ar lyfr!

A chofiwch . . . Bechgyn am Byth!

Felice

Pan Oedden Ni'n Blant

Phil

Felice Oeddet ti'n arfer mynd i'r traeth pan oeddet ti'n blentyn?

Phil Trwy'r amser! Oeddet ti?

Felice Ro'n i'n arfer mynd i draeth oedd yn cael ei alw'r Traeth Gwichlyd, achos roedd y tywod mor lân nes ei fod e'n gwichian pan oeddet ti'n cerdded arno.

Phil Cŵl. Ro'n i'n arfer mynd i draeth o'r enw Traeth yr Aw.

Felice Traeth yr Awel, wyt ti'n feddwl?

Phil Na, Traeth yr Aw. Traeth y Machlud oedd ei enw iawn, ond roedd pawb yn ei alw'n Draeth yr Aw achos roedd y tywod mor boeth nes bod pawb yn gweiddi 'Aw! Aw! Aw!' wrth gerdded arno!

Jôc!

C Pa gastell rhyfedd sydd ar y traeth?

A Castell tyw-od!

BECHGYN AM BYTH!